W9-CSM-794

# 米小圈上学记

大自然小秘密 二年级

北猫 著

四川少年儿童出版社

小圈妈

小圈爸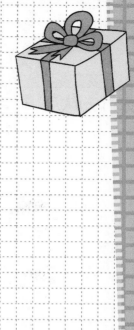

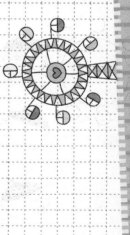

毛孩儿

魏老师

# 目 录

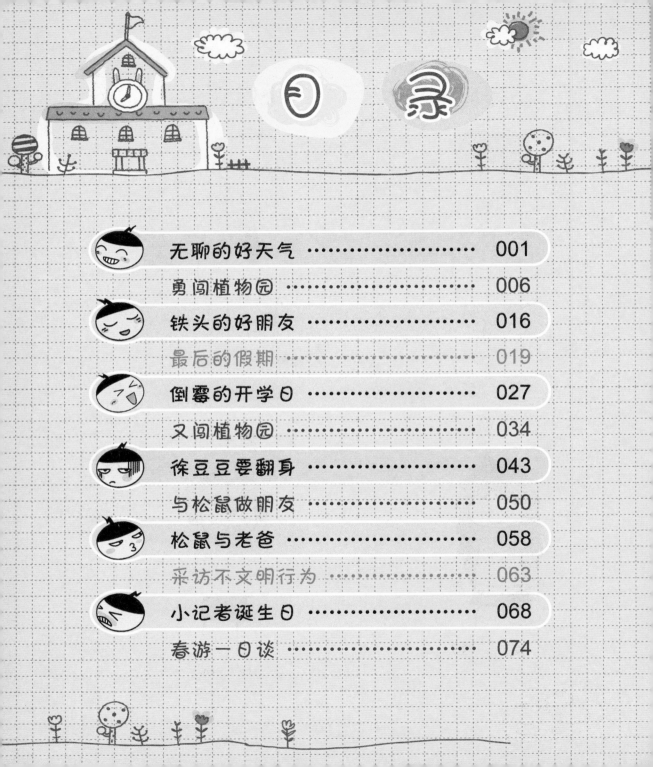

# 米小圈对你说

嗨！你好。

不知道你有没有看见我的这段文字，如果你看到了，那么我要郑重其事地对你说："呜呜……你居然偷看了我的日记。还敢笑我，我跟你没完。"

好吧，这只是个玩笑而已。我米小圈可不是一个小气鬼，我最喜欢的事就是逗别人开心啦，所以你想怎么看都行呀。

很感谢你，在你的陪伴下，我米小圈已经顺利升入了二年级。我已经不再是一年级的倒霉孩子啦。

回想起我的一年级，可真够悲惨的。总是被老师批评，总是被我的女魔头同桌欺负，总是好心办坏事。为什么倒霉的总是我呀？（**北猫叔叔：米小圈，我对不起你！是我写的。**）

二年级是一个全新的开始，真希望可以更幸运一点儿。我的朋友，你会祝福我的，对吗？

就说到这里吧，我要去写日记了。对了，你有没有拿起笔，像我一样，把好玩的事写在日记里呢？相信你已经开始动笔了。886……

米小圈

# 无聊的好天气

2 月 22 日  星期一

真是美妙的一天呀，太阳暖暖地
照进我的房间，真舒服啊。

我掀开被子从床上蹦了起来，我

春天的气味好香啊……

hǎo xiàng yǐ jīng wén dào le chūn tiān de qì wèi
好 像 已 经 闻 到 了 春 天 的 气 味 。

lǎo mā duān zhe zǎo cān zǒu le guò lái　mǐ xiǎo
老 妈 端 着 早 餐 走 了 过 来 ：" 米 小

quān　zhè bú shì chūn tiān de qì wèi　ér shì chūn juǎn de
圈 ， 这 不 是 春 天 的 气 味 ， 而 是 春 卷 的

qì wèi
气 味 。 "

wā　chūn juǎn　hǎo xiāng a　wǒ yào chī　wǒ
" 哇 ！ 春 卷 ， 好 香 啊 ， 我 要 吃 ， 我

yào chī　wǒ xiàng chūn juǎn chōng qù
要 吃 。 " 我 向 春 卷 冲 去 。

bù xíng　mǐ xiǎo quān　xǐ liǎn　shuā yá qù
" 不 行 ， 米 小 圈 ， 洗 脸 、 刷 牙 去 。 "

lǎo mā yòu bǎ chūn juǎn duān zǒu le
老 妈 又 把 春 卷 端 走 了 。

hǎo ba　wèi le chūn juǎn　wǒ xùn sù qǐ chuáng　xǐ
好 吧 ， 为 了 春 卷 ， 我 迅 速 起 床 ， 洗

liǎn　shuā yá wán bì　zuò dào cān zhuō páng
脸 、 刷 牙 完 毕 ， 坐 到 餐 桌 旁 。

kě shì lǎo bà hé wǒ yí yàng xǐ huan chī chūn juǎn
可 是 老 爸 和 我 一 样 喜 欢 吃 春 卷 ，

zǎo zāor jiù zuò zài cān zhuō páng le
早 早儿 就 坐 在 餐 桌 旁 了 。

lǎo mā gāng bǎ chūn juǎn fàng dào zhuō zi shang　wǒ jiù
老 妈 刚 把 春 卷 放 到 桌 子 上 ， 我 就

真是没出息的爷俩。

和老爸抢着吃了起来。

盘子里就剩下一个春卷了，我迅速拿了起来，嘻嘻，老爸没有抢到，他很失望。

咦？不对呀，老妈还没有吃呢。

我赶快向老妈承认错误："对不起老妈，我光顾着自己吃了，却忘记了

你，这个给你吃。"

老妈会心一笑："米小圈，你变懂事了，妈妈不喜欢吃春卷，你自己享用吧。"

这时，老爸一下子把春卷抢了，吃了下去。

呜呜……老爸太过分了。跟小孩儿抢东西吃，他真不懂事。

早餐完毕，老爸老妈就要去上班了，可是今天天气很好，是去游乐园的好日子呀。

老爸拿起公文包说："米小圈，我们得先去赚钱，然后才有钱去游乐园。"

就这样，老爸老妈走了，剩下我一个人在家。

**勇闯植物园**

2 月 23 日 星期 二

又是一个好天气，又是无聊的一天，爸妈又要去上班，我又一个人在家。

该做点儿什么呢？我想来想去也没有想到。

老妈帮我想到了，命令道："米小圈，赶快去写寒假作业，还有一个星期就要开学啦。"

"哦……是！"我只好写起了作业。

kě shì wǒ jué de      zhè me hǎo de tiān qì      xiě zuò
可 是 我 觉 得 ， 这 么 好 的 天 气 ， 写 作

yè shí zài shì tài làng fèi le      yào shi néng chū qù wán jiù
业 实 在 是 太 浪 费 了 ， 要 是 能 出 去 玩 就

hǎo le
好 了 。

yuán lái jiāng xiǎo yá hé wǒ yǒu yí yàng de xiǎng fǎ
原 来 姜 小 牙 和 我 有 一 样 的 想 法 ，

tā dǎ lái diàn huà      mǐ xiǎo quān      wǒ jué de zhè me hǎo
他 打 来 电 话 ： " 米 小 圈 ， 我 觉 得 这 么 好

de tiān qì      zài jiā xiě zuò yè tài wú liáo le      bù rú wǒ
的 天 气 ， 在 家 写 作 业 太 无 聊 了 ， 不 如 我

men chū qù wán ba
们 出 去 玩 吧 ？ "

hǎo ya      xī xī      jiào shàng tiě tóu yì qǐ qù
" 好 呀 ， 嘻 嘻 ， 叫 上 铁 头 一 起 去 。 "

就这样，我们仨在街上玩了起来。

可是街上有什么好玩的呢？

铁头提议，我们玩一个"**数大厦**"的游戏吧。

数大厦？我们完全没听过这个游戏。

铁头又说："嘻嘻，这是我自己发明的。"

铁头是个**游戏发明家**，他发明的游戏一个比一个不好玩。

铁头发誓："放心，这次的游戏绝对好玩，我们来猜一猜前面的那栋大厦有几层楼，如果谁猜错了，谁就请吃冰激凌怎么样？"

这个游戏**无聊透了**，但可以吃到冰激凌就一点儿都不无聊了。我和姜小牙都很赞成。

铁头第一个说："我猜这栋大厦是单数。"

我第二个来猜："我觉得是双数。姜小牙，你呢？"

姜小牙和铁头站在了一边："一定是单数。"

我们数了又数，呜呜呜……真倒霉，果然是个单数。

铁头他们从我兜里掏出钱去买了冰激凌，呜呜呜……我的钱。

wǒ men chī wán bīng jī líng　　yòu zài jiē shang wán shuǎ
我 们 吃 完 冰 激 凌 , 又 在 街 上 玩 耍

qǐ lái　　zhè shí　　tiě tóu zhǐ zhe bù yuǎn chù shuō　　kuài
起 来 。 这 时 , 铁 头 指 着 不 远 处 说 : " 快

kàn　　yí zuò xīn gōng yuán
看 ! 一 座 新 公 园 。 "

wǒ men zǐ xì yí kàn　　gōng yuán dà mén shang xiě zhe
我 们 仔 细 一 看 , 公 园 大 门 上 写 着

sēn lín zhí wù yuán
—— 森 林 植 物 园 。

qí guài　　zhè ge zhí wù yuán shén me shí hou jiàn de
奇 怪 ? 这 个 植 物 园 什 么 时 候 建 的

ya　　wǒ men zěn me cóng lái méi tīng shuō guo
呀 , 我 们 怎 么 从 来 没 听 说 过 ?

guǎn tā ne　　wǒ men xiàng gōng yuán chōng qù
管 它 呢 , 我 们 向 公 园 冲 去 。

wǒ men ná chū qián zhǔn bèi qù mǎi piào，kě shì bèi
我们拿出钱准备去买票，可是被

kān mén de yé ye jù jué le
看门的爷爷拒绝了。

kān mén yé ye shuō xiǎo tóng xué zhí wù yuán hái
看门爷爷说："小同学，植物园还

méi jiàn hǎo ne xiàn zài bú duì wài yíng yè
没建好呢，现在不对外营业。"

ǎ bù yíng yè wǒ men shī wàng jí le
"啊！不营业？"我们失望极了。

wǒ gǎn kuài yāng qiú kān mén yé ye lǎo yé ye
我赶快央求看门爷爷："老爷爷，

qiú nǐ le ràng wǒ men jìn qù wán yí huìr ba
求你了，让我们进去玩一会儿吧。"

nà yě bù xíng děng yíng yè de shí hou nǐ men zài
"那也不行，等营业的时候你们再

来玩吧。"看门爷爷又一次拒绝了我们。

这时，姜小牙掏出一百元钱："看我的。"

姜小牙把钱递给看门爷爷："爷爷，这钱给你了，我们可以进去了吧。"

谁知看门爷爷发怒了，把我们赶走了。

姜小牙把事情搞砸了，真是的！

我早就说过，钱不是万能的吧。

姜小牙说："我们还是回去吧，等以后再来玩。"

我说："不行，我们一定要进去玩。"

我老爸说过，做事不能半途而废，有困难要去公园，没有困难创造困难也要去公园。

（老爸评语：呜呜……米小圈，你学习时怎么永远想不起这句话来？）

我们偷偷绕到了公园的一侧，公园的墙是铁栅栏做的。

铁头突然想到一个好办法："我们钻进去吧。"

zhè ge zhǔ yi bú cuò　　wǒ hé jiāng xiǎo yá jǔ shuāng
这个主意不错，我和姜小牙举双

shǒu zàn chéng
手赞成。

wǒ shùn lì de zuān le jìn qù　　jiē zhe jiāng xiǎo yá
我顺利地钻了进去，接着姜小牙

yě shùn lì zuān le jìn qù　　zài jiē zhe shì tiě tóu yě shùn
也顺利钻了进去，再接着是铁头也顺

lì　……　ò　bìng bú shùn lì　　tiě tóu de dà nǎo dai qiǎ
利……哦，并不顺利，铁头的大脑袋卡

zài tiě zhà lan li le
在铁栅栏里了。

wǒ hé jiāng xiǎo yá gǎn kuài pǎo shàng qù bāng tiě tóu
我和姜小牙赶快跑上去帮铁头。

哎呀，
好疼呀……

就在这时，我们突然听到有人大喊："怎么又是你们，给我出去。"

不好！是看门爷爷。

我和姜小牙迅速跑掉。哎呀！铁头的大脑袋还卡在栅栏里呢。

呜呜……铁头，我们对不起你！

# 铁头的好朋友

2 月 24 日 星期三

zuó tiān tiě tóu bèi kān mén yé ye zhuā zhù le, wǒ

昨 天 铁 头 被 看 门 爷 爷 抓 住 了 ， 我

hé jiāng xiǎo yá dōu huái yí tiě tóu yǐ jīng bú zài rén shì le

和 姜 小 牙 都 怀 疑 铁 头 已 经 不 在 人 世 了 。

lǎo mā píng yǔ ǎ mǐ xiǎo quān nǐ xiě de yě tài

（老 妈 评 语 ： 啊 ！ 米 小 圈 ， 你 写 得 也 太

夸张了吧？）

可是今天铁头却活蹦乱跳地来到了我们面前。

真想不到铁头还能活着回来。铁头把事情的经过讲给我们听了。

我们逃跑了，看门爷爷追了过来，看见铁头的大脑袋夹在栅栏里。看门爷爷赶快想办法帮助铁头，终于把铁头救了出来，可是铁头的脑袋却肿起了一个包。嘻嘻，他的头更大了。

看门爷爷人真好，带着铁头去他家里，给他上了药。铁头的头又变成原来铁头的头了。

（老妈评语：米小圈，什么乱七八糟的，铁头的头不就是铁头的头吗？）

铁头为了对看门爷爷表示感谢，给爷爷讲了一个并不怎么好笑的笑话。看门爷爷高兴极了，一不小心把牙都笑丢了。

（老妈评语：米小圈，怎么可能把牙笑丢了呢？）

铁头在地上帮看门爷爷找到了假牙。

从此，铁头和看门爷爷就成了铁哥们儿。

（老妈评语：铁哥们儿？米小圈，你怎么这么没有礼貌？应改为好朋友。）

# 最后的假期

2 月 28 日 星期日

míng tiān jiù yào kāi xué le　　suǒ yǐ jīn tiān wǒ yào
明 天 就 要 开 学 了 ， 所 以 今 天 我 要

zhuā jǐn shí jiān
抓 紧 时 间 ……

lǎo mā zǒu le guò lái　　　 mǐ xiǎo quān suǒ yǐ nǐ
老 妈 走 了 过 来 ：" 米 小 圈 ， 所 以 你

yào zhuā jǐn shí jiān xiě zuò yè　　 duì ma
要 抓 紧 时 间 写 作 业 ， 对 吗 ？ "

dāng rán bú shì　　 wǒ shì xiǎng zhuā jǐn shí jiān
" 当 然 不 是 ， 我 是 想 抓 紧 时 间 …… "

lǎo bà bù zhī dào cóng nǎ lǐ tiào le chū lái　　　 wǒ
老 爸 不 知 道 从 哪 里 跳 了 出 来 ：" 我

zhī dào la　　 mǐ xiǎo quān　　 nǐ shì xiǎng zhuā jǐn shí jiān huà yì
知 道 啦 ， 米 小 圈 ， 你 是 想 抓 紧 时 间 画 一

zhāng chāo jí hǎo kàn de huà chū lái　　 duì ma
张 超 级 好 看 的 画 出 来 ， 对 吗 ？ "

"那就更不是了，我要抓紧时间……玩！玩个痛快！"

老爸老妈听完差点儿气晕过去。

幸运的是，今天不光是假期的最后一天，还是星期天，老爸老妈都不用去上班。嘻嘻……

"我们今天去游乐园吧！"我宣布。

老爸一听，赶快逃跑："米小圈，

呜呜呜……
我要去游乐园。

对不起，我今天要加班，要很晚才回来，再见！”

老妈赶快拿起拖布干起活来：“米小圈，我要在家收拾屋子，也没时间去了，再见。”

呜呜呜……你们太过分了。

老爸老妈不带我去，我只好找姜小牙和铁头一起去。

他们也非常想去，于是我们带上自己的零用钱，来到了游乐园。

我们来到售票处，我拿出自己所有的积蓄，整整五十元钱。

姜小牙在兜里摸来摸去：“奇怪，

wǒ de qián zěn me bú jiàn le
我 的 钱 怎 么 不 见 了 ？ ”

bú jiàn le wǒ gǎn kuài bāng jiāng xiǎo yá sōu
“ 不 见 了 ？ ” 我 赶 快 帮 姜 小 牙 “ 搜

shēn
身 ” 。

yā bù hǎo wǒ de dōu lòu le
“ 呀 ！ 不 好 ， 我 的 兜 漏 了 。 ”

wǒ yí kàn jiāng xiǎo yá de dōu guǒ rán lòu le yí
我 一 看 ， 姜 小 牙 的 兜 果 然 漏 了 一

gè dà kū long zhēn shì tài dǎo méi la
个 大 窟 窿 。 真 是 太 倒 霉 啦 。

tiě tóu gǎn kuài shuō péng you men bié nán guò
铁 头 赶 快 说 ： “ 朋 友 们 ， 别 难 过 ，

wǒ hái yǒu qián ne
我 还 有 钱 呢 。 ”

duì ya zěn me bǎ tiě tóu gěi wàng jì le hā
对 呀 ， 怎 么 把 铁 头 给 忘 记 了 ， 哈

hā wǒ de qián jiā shàng tiě tóu de qián yě gòu wán de la
哈 ， 我 的 钱 加 上 铁 头 的 钱 也 够 玩 的 啦 。

tiě tóu jǔ zhe wǔ yuán qián shuō mǐ xiǎo quān gěi
铁 头 举 着 五 元 钱 说 ： “ 米 小 圈 ， 给

nǐ zhè huí gòu le ba
你 ， 这 回 够 了 吧 。 ”

ǎ cái wǔ yuán qián wū wū wū tiě tóu nǐ
啊 ！ 才 五 元 钱 ？ 呜 呜 呜 …… 铁 头 ， 你

tài guò fèn le　wǔ yuán qián　jiù gòu chī sān gēn bīng gùn de
太过分了。五元钱，就够吃三根冰棍的。

　　hǎo ba　　wǒ men bì xū jiē shòu xiàn shí　xiàn shí
　　好吧，我们必须接受现实。现实

jiù shì wǒ men zhǐ yǒu wǔ shí wǔ yuán qián　měi rén zhǐ néng
就是我们只有五十五元钱，每人只能

zài yóu lè yuán li wán yí gè xiàng mù
在游乐园里玩一个项目。

　　tiě tóu dì yī gè jǔ qǐ shǒu lái　　wǒ yào wán guò
　　铁头第一个举起手来："我要玩过

shān chē
山车。"

　　guò shān chē　tiě tóu a　　guò shān chē èr shí wǔ yuán
　　过山车？铁头啊，过山车二十五元

qián yì zhāng piào　nǐ cái ná le wǔ yuán qián ye
钱一张票，你才拿了五元钱耶。

姜小牙第二个举起手来："我也要玩过山车。"

你也玩？姜小牙啊，你一分钱都没拿，你怎么好意思玩呢？

可是……铁头和姜小牙把五十元钱抢去了，呜呜呜……把钱还给我！

呜呜……我的钱。

就这样，铁头和姜小牙花掉了五十元钱，只给我留了五元钱。

zhè me diǎnr qián shá xiàng mù dōu wán bù liǎo
这 么 点 儿 钱 啥 项 目 都 玩 不 了 。

tiě tóu zhǐ zhe yuǎn chù de qiū qiān mǐ xiǎo quān
铁 头 指 着 远 处 的 **秋 千**："米 小 圈 ，

kě yǐ qù wán nà ge ya yì fēn qián dōu bú yòng huā wǔ
可 以 去 玩 那 个 呀 ， 一 分 钱 都 不 用 花 ， 五

yuán qián shěng xià lái mǎi bīng gùnr chī ba
元 钱 省 下 来 买 冰 棍 儿 吃 吧 。"

一点儿都不好玩。

是不是
很好玩呀？

wū wū wū zhè suàn shén me xiàng mù ya
呜 呜 呜 …… 这 算 什 么 项 目 呀 。

wǒ men huā guāng le shēn shang suǒ yǒu de qián què qiè
我 们 花 光 了 身 上 所 有 的 钱 ， **确 切**

de shuō shì huā guāng le wǒ shēn shang suǒ yǒu de qián wǒ men
地 说 是 花 光 了 我 身 上 所 有 的 钱 ， 我 们

zhǐ hǎo huí jiā qù le
只 好 回 家 去 了 。

wǒ huí dào jiā    lǎo mā yì liǎn de bù gāo xìng
我 回 到 家 ， 老 妈 一 脸 的 不 高 兴 ：

mǐ xiǎo quān    wǒ wèn nǐ    nǐ hán jià zuò yè xiě wán le
" 米 小 圈 ， 我 问 你 ， 你 寒 假 作 业 写 完 了

ma
吗 ？ "

zhè ge zhè ge    jiù chà yì diǎn diǎn le
" 这 个 这 个 …… 就 差 一 点 点 了 。 "

wǒ dǎn qiè de shuō
我 胆 怯 地 说 。

lǎo mā ná chū wǒ de zuò yè běn    shuō huǎng    zhè
老 妈 拿 出 我 的 作 业 本 ： " 说 谎 ！ 这

hái yǒu bàn běn méi xiě ne    kuài qù xiě
还 有 半 本 没 写 呢 ， 快 去 写 ！ "

shì    wǒ gǎn kuài huí dào fáng jiān xiě qǐ le zuò
" 是 ！ " 我 赶 快 回 到 房 间 写 起 了 作

yè
业 。

wū wū    guǒ rán bú shì yì diǎn diǎn zuò yè    shì
呜 呜 …… 果 然 不 是 一 点 点 作 业 ， 是

hěn duō hěn duō diǎn    wǒ xiě dào hěn wǎn cái shuì jiào
很 多 很 多 点 ， 我 写 到 很 晚 才 睡 觉 。

# 倒霉的开学日

3月1日 星期一

cǐ kè wǒ zhèng zài zuò mèng mèng jiàn jiāng xiǎo yá
此 刻 ， 我 正 在 做 梦 。 梦 见 姜 小 牙

jiǎn le hǎo duō qián tā yào qǐng wǒ qù yóu lè yuán wán
捡 了 好 多 钱 ，他 要 请 我 去 游 乐 园 玩 。

wǒ zhèng zài zuò zhe měi mèng tū rán bèi yí gè jù
我 正 在 做 着 美 梦 ， 突 然 被 一 个 巨

大的声音吵醒了。

老妈闯进我的房间："米小圈，赶快起床，今天是开学日，不许迟到。"

我还没反驳，就被老妈拽了起来。

洗脸、刷牙完毕，我端起一杯牛奶正准备喝，却被老妈阻止了。

"米小圈，不要喝，牛奶是刚从冰箱里拿出来的，还没热过呢。"

老妈真是麻烦呀，我偏喝。我趁老妈不注意，把牛奶喝了下去。

老妈刚要批评我，我背起书包，逃跑了，一路向学校奔去。

很久没有看见魏老师了，虽然她

hěn yán lì  dàn wǒ hái shi yǒu diǎnr xiǎng niàn tā le
很 严 厉 ， 但 我 还 是 有 点儿 想 念 她 了 。

　　mǐ xiǎo quān  děng děng wǒ ya  tiě tóu zài hòu
　　"米 小 圈 ， 等 等 我 呀 。" 铁 头 在 后

miàn zhuī le shàng lái
面 追 了 上 来 。

　　zhēn qiǎo  jū rán pèng jiàn le tiě tóu
　　真 巧 ， 居 然 碰 见 了 铁 头 。

　　tiě tóu shuō  mǐ xiǎo quān  nǐ zhēn bú gòu yì si
　　铁 头 说 ："米 小 圈 ， 你 真 不 够 意 思 ，

zěn me bù lái zhǎo wǒ yì qǐ shàng xué
怎 么 不 来 找 我 一 起 上 学 ？ "

铁头啊，你还好意思说，上学期的事情难道你忘记了吗？

铁头早把此事忘得一干二净了，他伤害别人的事似乎永远都不记得。

"哎呀，不好！"我的肚子开始疼起来了，一定是凉牛奶在作怪。

我捂着肚子："铁头，我要上厕所。"

铁头看了看四周："可是这周围没有厕所啊？再忍一忍吧。"

"不行，真的忍不住了。"此刻，我感觉我的屁股快要爆炸了。

"哈哈，有办法了！"铁头指着一个楼的拐角处，"米小圈，你去那里方

biàn ba　　wǒ bāng nǐ dǎng zhe
便 吧 ， 我 帮 你 挡 着 。 ”

　　méi yǒu gèng hǎo de bàn fǎ le　　wǒ gǎn kuài pǎo dào
　　没 有 更 好 的 办 法 了 ， 我 赶 快 跑 到

guǎi jiǎo chù dūn le xià lái　　tiě tóu zhàn zài wǒ de qián
拐 角 处 蹲 了 下 来 。 铁 头 站 在 我 的 前

miàn　　bāng wǒ dǎng zhe lù guò de xíng rén
面 ， 帮 我 挡 着 路 过 的 行 人 。

　　tiě tóu mán cōng míng de ma　　jū rán kě yǐ xiǎng chū
　　铁 头 蛮 聪 明 的 嘛 ， 居 然 可 以 想 出

zhè yàng de bàn fǎ lái
这 样 的 办 法 来 。

　　kě shì kě shì　　　tiě tóu kàn le kàn biǎo　　rán hòu
　　可 是 可 是 …… 铁 头 看 了 看 表 ， 然 后

pǎo diào le　　mǐ xiǎo quān　　mǎ shàng jiù yào chí dào le
跑 掉 了 ： “ 米 小 圈 ， 马 上 就 要 迟 到 了 ，

duì bu qǐ　　wǒ xiān shàng xué qù le
对 不 起 ， 我 先 上 学 去 了 。 ”

　　　　　ǎ　 tiě tóu　 nǐ　　　 wū wū
“ 啊 ？ 铁 头 ， 你 …… 呜 呜 …… ”

wū wū wū　　　　tiě tóu　 wǒ fā shì　　wǒ zhè bèi
呜 呜 呜 …… 铁 头 ， 我 发 誓 ， 我 这 辈

zi dōu bù lǐ nǐ le
子 都 不 理 你 了 。

gèng cǎn de shì qing fā shēng le　 wǒ guǒ rán chí dào
更 惨 的 事 情 发 生 了 ， 我 果 然 迟 到

le　 zài kāi xué dì yī tiān jiù chí dào　 zhè yí dìng huì
了 。 在 开 学 第 一 天 就 迟 到 ， 这 一 定 会

bèi wèi lǎo shī mà sǐ de
被 魏 老 师 骂 死 的 。

zāo gāo de shì yuǎn yuǎn méi yǒu jié shù　 wèi lǎo shī
糟 糕 的 事 远 远 没 有 结 束 ， 魏 老 师

呜呜……
米小圈，我
对不起你。

正在批评我时，我的好朋友铁头为了帮我，赶快举起手来："老师，不要怪罪米小圈了，他不是故意的。他今天闹肚子……"

铁头，我求你，别再说下去了。

可是铁头把实情说了出来："他今天闹肚子，可是周围没有厕所，所以米小圈就跑到楼角处拉屎……"

同学们一听，哄堂大笑起来。房顶都快被他们掀翻了。

呜呜呜……铁头，我恨死你了！

又闯植物园

3 月 6 日　星期六

今天铁头提议："我们去植物园玩吧。"

这个提议不错，可是植物园还没开始营业呢！

铁头说："米小圈，你们忘记了吗？看门爷爷是我的好朋友呀。只要我出马，看门爷爷一定会同意我们进去的。"

森林植物园

好朋友铁头。

好朋友爷爷。

tiě tóu shuō de méi cuò, tā hé kān mén yé ye shì
铁头说得没错，他和看门爷爷是

hǎo péng you ma。 yú shì wǒ men bēi shàng hǎo duō hǎo chī de
好朋友嘛。于是我们背上好多好吃的

dōng xi xiàng zhí wù yuán chū fā
东西向植物园出发。

wǒ men lái dào zhí wù yuán dà mén kǒu, tiě tóu dà
我们来到植物园大门口，铁头大

hǎn :"yé ye， nǐ de hǎo péng you tiě tóu lái le。"
喊："爷爷，你的好朋友铁头来了。"

kān mén yé ye yí kàn tiě tóu lái le, gāo xìng de
看门爷爷一看铁头来了，高兴得

tiào le qǐ lái
跳了起来。

lǎo mā píng yǔ  yòu tiào le qǐ lái  mǐ xiǎo quān  nǐ
（老妈评语：又跳了起来？米小圈，你

大自然小秘密

035

jiù bù néng huàn gè xīn cí
就 不 能 换 个 新 词 ？ ）

duì le lǎo mā jué de yì gāo xìng jiù tiào qǐ lái
对 了！老 妈 觉 得 一 高 兴 就 跳 起 来，

tài méi chuàng yì le wǒ jué dìng tīng lǎo mā de huà gǎi yí
太 没 创 意 了，我 决 定 听 老 妈 的 话，改 一

gè xīn cí
个 新 词 。

lǎo mā píng yǔ zhè hái chà bu duō
（老 妈 评 语：这 还 差 不 多 。）

kān mén yé ye yí kàn jiàn tiě tóu gāo xīng de bèng
看 门 爷 爷 一 看 见 铁 头，高 兴 得 蹦

le qǐ lái
了 起 来 。

lǎo mā píng yǔ
（老 妈 评 语：……）

kān mén yé ye lā zhe tiě tóu qù kàn tā de xīn wán
看 门 爷 爷 拉 着 铁 头 去 看 他 的 新 玩

yìr yí gè mù tou zuò de yǎ líng
意 儿，一 个 木 头 做 的 哑 铃 。

tiě tóu zhǐ zhe xīn wán yìr wèn zhè ge mù tou
铁 头 指 着 新 玩 意 儿 问："这 个 木 头

yǎ líng shì gàn má de
哑 铃 是 干 吗 的 ？"

zhè bú shì yǎ líng zhè jiào kōng zhú jiù gēn nǐ
"这 不 是 哑 铃，这 叫 空 竹，就 跟 你

men wán de yōu yōu qiú chà bu duō kān mén yé ye bǎ
们 玩 的 悠 悠 球 差 不 多 。 " 看 门 爷 爷 把

shéng zi tào zài kōng zhú shang zhè me yì dōu kōng zhú jiù
绳 子 套 在 空 竹 上 , 这 么 一 兜 , 空 竹 就

zhuàn le qǐ lái kōng zhú yuè zhuàn yuè kuài hái fā chū le
转 了 起 来 。 空 竹 越 转 越 快 , 还 发 出 了

shào shēng
哨 声 。

哇！太棒啦……

tiě tóu zhèng zhǔn bèi gēn kān mén yé ye xué xí dǒu kōng
铁 头 正 准 备 跟 看 门 爷 爷 学 习 抖 空

zhú wǒ zài yì páng tí xǐng tā tiě tóu wǒ men kě
竹 , 我 在 一 旁 提 醒 他 : " 铁 头 , 我 们 可

bú shì lái xué dǒu kōng zhú de
不 是 来 学 抖 空 竹 的 。 "

tiě tóu gǎn kuài qù qiú kān mén yé ye yé ye
铁 头 赶 快 去 求 看 门 爷 爷 : " 爷 爷 ,

037

wǒ men xiǎng jìn zhí wù yuán wán yí huìr xíng ma
我 们 想 进 植 物 园 玩 一 会 儿 ， 行 吗 ？ ”

kān mén yé ye xiǎng dōu méi xiǎng jiù jù jué le wǒ men
看 门 爷 爷 想 都 没 想 就 拒 绝 了 我 们 。

wū wū wū tiě tóu jiù huì chuī niú nǐ bú
呜 呜 呜 …… 铁 头 就 会 吹 牛 。 你 不

shì shuō zhǐ yào nǐ chū mǎ kān mén yé ye yí dìng tóng
是 说 ， 只 要 你 出 马 ， 看 门 爷 爷 一 定 同

yì ma
意 吗 。

wǒ men cóng shū bāo li ná chū gè zhǒng hǎo chī de sòng
我 们 从 书 包 里 拿 出 各 种 好 吃 的 送

gěi kān mén yé ye kān mén yé ye què yì zhí yáo tóu zhí
给 看 门 爷 爷 ， 看 门 爷 爷 却 一 直 摇 头 ， 直

dào wǒ men ná chū huà méi xī xī kān mén yé ye kàn
到 我 们 拿 出 话梅 。 嘻 嘻 ， 看 门 爷 爷 看

见话梅口水都要流出来了。

看门爷爷吃了话梅，终于同意我们进去玩一小会儿。看门爷爷提醒我们，植物园里有一辆报废的坦克车，我们一定不可以靠近它。

"好的，绝对没问题。"我们仨冲进了植物园。

植物园这么大，我们该玩点儿什么呢？

铁头提议："我们去摘果子吧，植物园里一定有许多的果树。"

这个主意好！可是我们找了半天，果树上一个水果都没有。我们这才明

白 ，原来 三 月 份 树 上 是 长 不 出 水 果 的 。

我 们 挖 了 几 条 **蚯 蚓**，又 玩 了 一 会 儿

**捉 迷 藏**，就 觉 得 没 意 思 了 。

姜 小 牙 指 着 远 处 ："你 们 看 ，坦 克 ！"

我 们 赶 快 跑 到 坦 克 旁 ，发 现 坦 克

的 四 周 都 用 栅 栏 围 了 起 来 。

我 们 觉 得 ，如 果 这 辆 坦 克 能 开 就

好 了 ，我 们 就 可 以 维 护 世 界 和 平 了 。

姜 小 牙 提 议 ："不 如 我 们 进 去 看

看 ，说 不 定 坦 克 真 的 可 以 开 走 呢 ？"

铁 头 赶 快 阻 止 我 们 ："姜 小 牙 ，我

的 好 朋 友 爷 爷 说 过 ，不 许 我 们 靠 近 坦

克 的 。"

姜小牙说："可这如果只是报废的坦克，为什么不允许我们靠近呢？说不定坦克里藏着什么**秘密**。"

我接着说："铁头，你不去算了，我们去。"

我和姜小牙翻过栅栏，铁头赶快跟上来："等等我，我也要维护世界和平。"

救命呀！

出发！

姜小牙摸了摸坦克坚硬的外壳：

"哇！全是铁做的，就算卖废铁也可以卖好多钱呢。"

姜小牙这家伙，真是财迷。

我们爬到坦克身上，蹦来蹦去，正准备打开上面的盖子，到驾驶室里一探究竟。

这时，远处传来一个声音，"快给我下来！"

不好！是看门爷爷。

我和姜小牙赶快逃跑，铁头可真笨，不小心摔了一跤，被看门爷爷抓到了。

# 徐豆豆要翻身

3月8日 星期一

duì yú lǎo mā lái shuō， jīn tiān shì yí gè hěn měi
对于老妈来说，今天是一个很美

miào de rì zi， yīn wèi jīn tiān shì "sān bā" jié。
妙的日子，因为今天是"三八"节。

lǎo mā fǎn bó dào： "mǐ xiǎo quān，'sān bā'
老妈反驳道："米小圈，'三八'

jié tài nán tīng le，yīng gāi jiào fù nǚ jié cái duì。"
节太难听了，应该叫妇女节才对。"

"ò， hǎo ba， jīn tiān shì fù nǚ de 'sān bā'
"哦，好吧，今天是妇女的'三八'

jié。"
节。"

"mǐ xiǎo quān， nǐ ……" lǎo mā chà diǎnr qì yūn
"米小圈，你……"老妈差点儿气晕

guò qù。
过去。

043

"开个玩笑嘛，今天是三八妇女节。"

"这还差不多……"

老妈的节日，我一定不会惹她生气的，即使她是错的，我也会让着她的。

老妈在家里宣布，今天下午她们妇女放假半天，她们妇女要翻身啦。

可是我和老爸都觉得，我们家本来就是老妈说了算，如果她再翻身，还

男人真命苦。

擦干净点儿！

让 不 让 我 们 男 人 活 了 ?!

老 爸 觉 得 ，女 人 们 真 的 太 幸 福 啦 ，可 以 放 假 ，他 却 要 加 班 。他 也 想 当 一 回 女 人 。

千 万 不 要 啊 老 爸 ，你 要 是 变 成 了 女 人 ，那 我 就 不 知 道 该 叫 你 老 爸 还 是 老 妈 啦 ！

今天，身为妇女的魏老师也心情大好特好。姜小牙明明迟到了，她却没有追究。

早知道，我就不起那么早了。

我的同桌徐豆豆一走进教室就向我要礼物："米小圈，今天是我的节日，身为同桌的你应该送我一份礼物才对呀！"

"什么？你的节日？徐豆豆，你又不是妇女，你是小女孩儿。"

徐豆豆说："小女孩儿也是妇女，所以你要送我礼物。"

我不服："小女孩儿不是妇女，不

信你问问别人。"

徐豆豆跑去问铁头:"铁头,你说小女孩儿是妇女吗?"

铁头很干脆地说:"小女孩儿绝对不是妇女,小男孩儿才是,所以我要放假。"

全班同学都晕倒!

徐豆豆又跑去问李黎:"李黎,你说小女孩儿是妇女吗?"

李黎说:"没错,你和我都是妇女,所以我们下午要放假,让男生上课。"

大家争论不休,小女孩儿到底算不算妇女呢?

大自然小秘密

047

魏老师走过来给出了答案："同学们，我来给大家解答一下吧。严格意义上来说，十八岁以上的女性都算是妇女啦。但我们民间所指的妇女，通常都是已婚的女性。所以徐豆豆你不能算作妇女。"

徐豆豆听完很难过，她想礼物都快想疯了："结了婚的才算妇女？那我要结婚。"

徐豆豆她突然要结婚，这样她就是妇女了，就可以让我送她礼物啦。

徐豆豆结婚本来我是不反对的，可她第一个找到了我，呜呜呜……

wǒ chà yì diǎnr bèi tóng xué xiào huà sǐ<br>
我 差 一 点 儿 被 同 学 笑 话 死 。

hái hǎo wèi lǎo shī zhěng jiù le wǒ tóng xué men<br>
还 好 ， 魏 老 师 拯 救 了 我 ： " 同 学 们 ，

dōu bié nào le xià wǔ bù guǎn nán shēng hái shi nǚ shēng<br>
都 别 闹 了 ， 下 午 不 管 男 生 还 是 女 生 ，

dōu fàng jià bàn tiān<br>
都 放 假 半 天 。 "

hā hā tài bàng<br>
哈 哈 ， 太 棒

la kě yǐ qù wán<br>
啦 …… 可 以 去 玩

le kě yǐ bù hé xú<br>
了 ， 可 以 不 和 徐

dòu dou jié hūn le<br>
豆 豆 结 婚 了 。

# 与松鼠做朋友

3月27日 星期六

今天的天气真的很好，我们脱去
了**厚厚**的衣服，感觉整个人都轻松多
了。而且更轻松的是这个周末老师们

赶快去写作业！

哈哈，老师没留作业。

大发慈悲，没有留作业，可以玩个痛快啦，真好！

我正在家玩着，姜小牙和铁头跑来找我。

"米小圈，在家玩多没劲儿，我们还是去植物园玩吧！"

"可是，看门爷爷不是说不让我们进去了吗？"

铁头拍着胸脯说："放心吧，看门爷爷是我的好朋友啊，他一定会给我这个面子的。"

铁头啊，上次你也这么说，后来还不是被赶了出来。

姜小牙说："米小圈，你还记不记得那辆大坦克了，里面一定有秘密，否则为何我们靠近坦克，看门爷爷就**大发雷霆**。"

对呀，里面一定有秘密，说不定会有一个大宝藏或者武功秘籍什么的。

我们仨决定再次前往植物园，一探究竟。

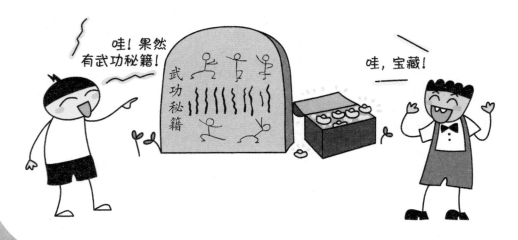

我们来到植物园，把话梅送给看门爷爷。

可无论我们怎么"贿赂"他，他也不同意我们进去了。

铁头对看门爷爷发誓，他一定不靠近坦克了，否则就让他变笨蛋。

嘻嘻，可是铁头，你本来就已经很笨很笨了。

看门爷爷终于同意了我们的请求，前提是一定一定不许靠近坦克。

我和姜小牙进入植物园，赶快向大坦克冲去。

铁头说："我不去了，我发过誓的，

你们先去吧，如果有宝藏，我再进去。"

铁头跑到一边玩了起来，我和姜小牙偷偷来到坦克边上。

我们正准备爬上去，看门爷爷又出现了："你们究竟想干什么？"

"老爷爷，我们想看看坦克里有没有宝藏。"

"里面什么都没有，不许看！"看门爷爷很严厉地说。

看门爷爷把守着坦克，我们根本没办法靠近，只好灰溜溜地离开了。

唉……又失败了。

我们正沮丧呢，铁头却抱着一只

sōng shǔ kāi xīn de pǎo guò lái　　　　nǐ men kàn　　zhè shì wǒ
松 鼠 开 心 地 跑 过 来 ："你 们 看 ，这 是 我

de　xīn péng you
的 新 朋 友 。"

　　　　wā　　sōng shǔ
　　"哇 ！松 鼠 。"

哈哈哈哈

松鼠好可爱……

wǒ men bǎ shǔ piàn dì gěi sōng shǔ　　　kě shì sōng shǔ
我 们 把 薯 片 递 给 松 鼠 ， 可 是 松 鼠

yì diǎnr dōu bù xǐ huan chī shǔ piàn
一 点 儿 都 不 喜 欢 吃 薯 片 。

tiě tóu shuō　　　　nǐ men kě zhēn bèn　　sōng shǔ xǐ huan
铁 头 说 ："你 们 可 真 笨 ，松 鼠 喜 欢

chī de shì guǒ rén
吃 的 是 果 仁 。"

yú shì wǒ men cóng shū bāo li ná chū guā zǐ　　kè
于 是 我 们 从 书 包 里 拿 出 瓜 子 ， 嗑

大自然小秘密

055

kāi guā zǐ wèi gěi sōng shǔ     wā     sōng shǔ guǒ rán xǐ huan chī
开 瓜 子 喂 给 松 鼠 。哇！松 鼠 果 然 喜 欢 吃 。

tiě tóu chuī niú shuō         sōng shǔ shì wǒ de hǎo péng
铁 头 吹 牛 说 ："松 鼠 是 我 的 好 朋

you     wǒ kě yǐ ràng tā tiào wǔ
友 ，我 可 以 让 它 跳 舞 。"

wǒ hé jiāng xiǎo yá dōu bú xìn
我 和 姜 小 牙 都 不 信 。

tiě tóu ná zhe yì bǎ guā zǐ duì sōng shǔ shuō         xiǎo
铁 头 拿 着 一 把 瓜 子 对 松 鼠 说 ："小

sōng kuài gěi dà jiā tiào gè wǔ
松 ，快 ，给 大 家 跳 个 舞 。"

sōng shǔ zhǐ gù zhe chī guā zǐ     gēn běn bù gěi tiě
松 鼠 只 顾 着 吃 瓜 子 ，根 本 不 给 铁

tóu tiào wǔ     yú shì tiě tóu méi bàn fǎ     gěi sōng shǔ tiào qǐ
头 跳 舞 ，于 是 铁 头 没 办 法 ，给 松 鼠 跳 起

舞来。

天已经不早了，我们必须要回家了。

姜小牙说："不如我们把松鼠带回家吧，这样它就可以天天有果仁吃了。"

这个主意不错，姜小牙今天带松鼠回家，明天就轮到我带松鼠回家了。

明天快点儿到来吧。

# 松鼠与老爸

3 月 28 日　星期日

今天终于到来了，老妈去超市帮我买来了松子。

老妈问："米小圈，你很喜欢吃松子吗？"

我解释道：“不！今天有一个新朋友要来咱们家，它最喜欢吃松子了。我要买来**招待**我的朋友。”

我等啊等，可是姜小牙却迟迟没有把松鼠给我送来。姜小牙向来说话不算数，我只好去姜小牙家把松鼠要了回来。

我抱着松鼠回到家：“老妈老爸，

你们看，这是我的新朋友，可爱吧？"

老爸一看见松鼠，大喊："哎呀，

老鼠！"差点儿吓晕了过去。

老爸是个怕老鼠的胆小鬼，可我

的朋友它是松鼠啊。

老爸躲到卫生间不敢出来。

老妈倒是很喜欢我的新朋友。我

和老妈跟松鼠玩了起来，还给松鼠洗

了澡。松鼠有一条毛茸茸的尾巴，真

的好漂亮。

老妈把松子放在手心，松鼠跳过

来，吃起了松子。

想不到老妈这么喜欢松鼠，我提

议："老妈，不如我们收养这只松鼠吧。"

老妈想了想说："我也很想收养它，可是米小圈，我们不能这么**自私**。"

"啊！收养松鼠怎么能是自私呢？"

老妈又说："松鼠的家在树上，我们不能为了自己觉得好玩就把它带回来呀。你想一想，如果别人把你从家里带走，你会高兴吗？"

我要
回家……

你的家
在哪儿啊？

大自然小秘密

061

"那我一定难过死了。"

"没错，松鼠离开家也会难过的。"

我和老妈决定把松鼠送回家去，我想它妈妈此刻一定很想念它。

虽然姜小牙和铁头一定会生我的气，但我也要把松鼠送回家去。

我和老妈来到植物园，跟看门爷爷说明了原因，看门爷爷同意我们进入植物园。

我们刚把松鼠放在地上，它就欢快地跳到树上去了。几只松鼠跳了过来，陪它玩耍起来。

看来，还是自己的家最好。

# 采访不文明行为

3月29日 星期一

今天，校长大人在**升旗仪式**上宣布，学校要选出一名小记者来，负责报道学校的**奇闻趣事**和不文明行为。

这就是邢铁同学的铁头功。

哇！小记者哥哥！

谁当了这名小记者可就是学校的

名人了，我要能当该多好啊。

魏老师告诉大家，小记者可不是

那么容易当的，要会观察与调查，既要

关心国家大事，又要关注身边的小事，

还要有很好的口才。

我和姜小牙都想当小记者，于是

我们决定练习一下。

可是我们怎么练习呢？姜小牙说，

先要从身边的小事开始入手。

我们认真仔细地观察，终于发现

了第一个新闻线索。

第三节下课的时候，一位高年级

de tóng xué zài dì shang jiǎn dào le yí kuài qián yìng bì tā
的 同 学 在 地 上 捡 到 了 一 块 钱 硬 币 ， 他

méi yǒu jiāo gěi lǎo shī ér shì fàng zài le zì jǐ dōu li
没 有 交 给 老 师 ， 而 是 放 在 了 自 己 兜 里 。

tài hǎo la wǒ men gǎn kuài chōng shàng qù cǎi fǎng
太 好 啦 ， 我 们 赶 快 冲 上 去 采 访 。

我错了……

你觉得这种行为对吗？

wǒ men de dì yī cì cǎi fǎng hěn chéng gōng wǒ men
我 们 的 第 一 次 采 访 很 成 功 ， 我 们

bú dàn cǎi fǎng le xué xiào de bù wén míng xíng wéi hái dé
不 但 采 访 了 学 校 的 **不 文 明 行 为** ， 还 得

dào le yí kuài qián
到 了 一 块 钱 。

lǎo mā píng yǔ nǐ men méi bǎ yìng bì jiāo gěi lǎo shī
（ 老 妈 评 语 ： 你 们 没 把 硬 币 交 给 老 师 ？ ？ ？ ）

běn lái wǒ shì xiǎng bǎ zhè yí kuài qián jiāo gěi wèi lǎo
本 来 我 是 想 把 这 一 块 钱 交 给 魏 老

师的，可是姜小牙却用这一块钱买了
两根冰棍儿。

我们正吃着冰棍，李黎出现了，要
采访我们。

谁知李黎的新闻传到了魏老师的
耳朵里，我们被魏老师批评了一顿。

李黎可真坏，总是打我的小报告。

（老妈评语：米小圈，是你自己做错了！）

魏老师生气地说:"你们知道吗?作为一名小记者,廉洁和公正也是很重要的。你们这样的行为能有资格当小记者吗?"

呜呜呜……我和姜小牙被取消了资格。

谁知铁头落井下石,跑过来采访我们:"说一说,你们被取消小记者资格后的心理感受吧。"

"走开!"

都怪姜小牙,我早就说不能买冰棍儿,万一被发现我们就完了,结果真的完了吧。

# 小记者诞生日

4月2日 星期五

　　经过一周的**选拔**，我们学校第一位小记者终于**诞生**了，今天魏老师站在讲台上很荣幸地宣布，小记者就是我的前同桌李黎。

　　啊？不会吧，老师！

　　李黎总是把成功建立在我的错误上，这一次也是。

　　从此，大家都很怕李黎。我再也

bù gǎn fàn yì diǎn diǎn cuò wù　　　lǐ lí yí dìng huì bǎ wǒ
不 敢 犯 一 点 点 错 误 ， 李 黎 一 定 会 把 我

de cuò wù bào dào chū qù　　quán xiào tóng xué dōu huì zhī dào de
的 错 误 报 道 出 去 ， 全 校 同 学 都 会 知 道 的 。

　　xià kè shí　jiāng xiǎo yá ná zhe　xiǎo xué shēng bào
下 课 时 ， 姜 小 牙 拿 着 《 小 学 生 报 》

pǎo le guò lái　　　　hā hā hā　　　dà jiā kuài kàn　zhè
跑 了 过 来 ： " 哈 哈 哈 …… 大 家 快 看 ！ 这

shàng miàn yǒu wǒ xiě de ér tóng shī
上 面 有 我 写 的 儿 童 诗 。 "

　　wǒ ná guo bào zhǐ yí kàn　shàng miàn guǒ rán yǒu yì
我 拿 过 报 纸 一 看 ， 上 面 果 然 有 一

shǒu jiāng xiǎo yá xiě de gǒu pì shī
首 姜 小 牙 写 的 狗 屁 诗 。

chūn tiān de xiǎo gū niang
春 天 的 小 姑 娘

jiāng xiǎo yá
姜 小 牙

chūn tiān a tā shì yí gè xiǎo gū niang
春 天 啊 ， 她 是 一 个 小 姑 娘

tā chuān zhe lǜ sè de yī shang bēi zhe wēn nuǎn de
她 穿 着 绿 色 的 **衣 裳** ， 背 着 温 暖 的

yáng guāng
阳 光

bèng bèng tiào tiào lái dào wǒ men shēn páng
蹦 蹦 跳 跳 来 到 我 们 身 旁

tā péi wǒ men wán shuǎ
她 陪 我 们 玩 耍

tā bàn wǒ men chéng zhǎng
她 伴 我 们 成 长

tā shì yí gè hǎo gū niang
她 是 一 个 好 姑 娘

wū wū wū xiǎo jì zhě lǐ lí cǎi fǎng le tā
呜 呜 呜 …… 小 记 者 李 黎 采 访 了 他 。

jiāng xiǎo yá dé yì jí le
姜 小 牙 得 意 极 了 。

yuán lái zài bào zhǐ shang fā biǎo wén zhāng shì kě yǐ dé
原 来 在 报 纸 上 发 表 文 章 是 可 以 得

gǎo fèi de jiāng xiǎo yá ná chū le èr shí yuán gǎo fèi zài
稿 费 的 ， 姜 小 牙 拿 出 了 二 十 元 稿 费 在

大家面前炫耀。

铁头提议让姜小牙请客。我觉得这个主意不错,拉着姜小牙去了超市。

"我要这个……这个……还有这个……"

我们花光了姜小牙的稿费,姜小牙并没生气,因为他就要成为学校的名人了。

zhè zhī hòu    bān jí xiān qǐ le xiě shī rè
这之后，班级掀起了写诗热。

wǒ yě yào xiě    wǒ yě yào jiē shòu cǎi fǎng    duì
我也要写，我也要接受采访。对

le  wǒ yě yào zhuàn gǎo fèi
了，我也要赚稿费！

tiě tóu yě xiě le yì shǒu   hē hē   tóng xué men kàn
铁头也写了一首，呵呵，同学们看

wán   quán dōu xiào yūn guò qù
完，全都笑晕过去。

bǐng a bǐng
饼 啊 饼

tiě tóu
铁 头

tài yáng xiàng shāo bing
太 阳 像 烧 饼

yuè liang xiàng yuè bing
月 亮 像 月 饼

xīng xing xiàng dòu bing
星 星 像 豆 饼

tiān kōng xiàng jiān bing
天 空 像 煎 饼

# 春游一日谈

4月9日 星期五

　　春天是我最最喜欢的季节，在这样的日子里，我们可以放风筝、捉虫子、做游戏，还可以参加学校组织的春游。

　　我们**朝思暮想**的春游日在今天终于到来啦。

　　**意想不到**的是，这次春游的目的地居然是看门爷爷的植物园，不是说

快看!
那是什么?

zhí wù yuán hái méi zhèng shì yíng yè ma
植 物 园 还 没 正 式 **营 业** 吗 ?

　　tiě tóu náo le náo tóu shuō　　āi yā　wǒ wàng jì
　　铁 头 挠 了 挠 头 说 :" 哎 呀 , 我 忘 记

le　kān mén yé ye shuō guo zuì jìn jiù yào yíng yè le
了 , 看 门 爷 爷 说 过 最 近 就 要 营 业 了 。"

　　tiě tóu zhè jiā huo jì xing zǒng shì hěn chà
　　铁 头 这 家 伙 记 性 总 是 很 差 。

　　zài wèi lǎo shī de dài lǐng xià　　dà jiā lái dào le
　　在 魏 老 师 的 带 领 下 , 大 家 来 到 了

zhí wù yuán
植 物 园 。

　　lǐ lí hé xú dòu dou tā men dōu shì dì yī cì lái
　　李 黎 和 徐 豆 豆 她 们 都 是 第 一 次 来 ,

jiāng xiǎo yá jué dìng dāng tā men de dǎo yóu　　zhè lǐ wǒ
姜 小 牙 决 定 当 她 们 的 **导 游** ： " 这 里 我

fēi cháng shú　　wǒ lái dāng nǐ men de dǎo yóu ba
非 常 熟 ， 我 来 当 你 们 的 导 游 吧 。 "

这个河的名字叫甜水河！

好漂亮啊！

wèi lǎo shī dài lǐng dà jiā lái dào yí piàn huā cóng zhōng
魏 老 师 带 领 大 家 来 到 一 片 花 丛 中 。

hǎo piào liang de huā　　wǒ men xiàng huā cóng chōng qù　　fēng wán qǐ
好 漂 亮 的 花 ！ 我 们 向 花 丛 冲 去 ， 疯 玩 起

lái
来 。

wèi lǎo shī wèn dà jiā　　　　tóng xué men　　　nǐ men zhī
魏 老 师 问 大 家 ： " 同 学 们 ， 你 们 知

dào zhè xiē huā de míng zi ma
道 这 些 花 的 名 字 吗 ？ "

可是大家都答不上来。

魏老师开始教大家认识花："这个黄色的叫**金鸡菊**，这个蓝色的叫**蓝刺头**，这个红色的是**月季**。"

铁头指着一个绿色的问："老师，这个绿色的是什么花？"

"这个这个……是草！"

"哈哈哈……"同学们都笑了。铁头可真笨！

铁头突然指着一座小山说："米小圈，这里有座山，以前怎么没发现。"

是呀，这个植物园太大了，很多地方我们都没有去过呢。

魏老师同意大家去山上玩。太棒了，大家向小山冲去。

"铁头，咱们比一比谁第一个到山顶。"

铁头没有回答，他第一个向山上冲去。可是他的书包太重了，我比他先到达了山顶。

不一会儿，同学们都到达了山顶。

可是大家都觉得哪里不对，好像少了点儿什么。

魏老师突然想起来了："姜小牙呢？"

这时，大家才发现原来"导游"姜小牙和他的"游客"不见了。

魏老师有点儿着急了，命令大家原地不动，她去找姜小牙。

姜小牙不会是真迷路了吧？他不是对这里很熟吗？姜小牙就会吹牛。

过了一会儿，姜小牙被魏老师拽了回来，狠狠地批评了一顿。

姜小牙偷偷告诉我们，他其实是去大坦克那里了，而且发现了一个重大的秘密。

"什么秘密？"我和铁头好奇地问。

姜小牙神秘兮兮地说："我发现有个人钻进了坦克里，可是我爬到上面去，怎么也打不开坦克的盖子。"

"真的？姜小牙，你不会是眼花了吧？"

姜小牙一本正经地说："绝对不会，坦克里一定有人，而且是个怪人。"

难道这个坦克是外星人的家？或许他们要攻打地球也说不定啊。

wǒ men sā jué dìng　　míng tiān zài lái zhí wù yuán　　wǒ
我 们 仨 决 定 ， 明 天 再 来 植 物 园 ， 我

men yí dìng yào nòng qīng chu zhè lǐ miàn de mì mì
们 一 定 要 弄 清 楚 这 里 面 的 秘 密 。

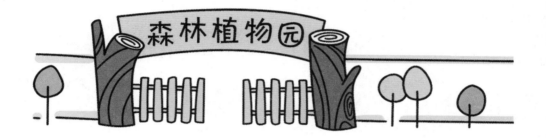

# 小秘密

4 月 10 日　星期六

今天，我们三个早早儿就起床了，没有惊动看门爷爷，悄悄进入了植物园。

铁头从书包里拿出一把**锤子**："米小圈，我们去把坦克盖捶开吧！"

"捶开？可是万一里面没有外星人，我们可赔不起啊。"

我提议，我们还是藏在一边偷偷观察，我就不信怪人永远不出来。

082

wǒ men děng le yòu děng dōu kuài shuì zháo le kě shì
我 们 等 了 又 等 ， 都 快 睡 着 了 ， 可 是

tǎn kè li què méi yǒu dòng jing
坦 克 里 却 没 有 动 静 。

jiāng xiǎo yá tū rán dà hǎn kuài kàn kān mén yé
姜 小 牙 突 然 大 喊 ： " 快 看 ， 看 门 爷

ye lái le
爷 来 了 。 "

wǒ men xiàn zài huái yí kān mén yé ye shì wài xīng
我 们 现 在 怀 疑 ， 看 门 爷 爷 是 外 星

rén de tóng dǎng huò xǔ tā zì jǐ gēn běn jiù shì wài xīng
人 的 同 党 ， 或 许 他 自 己 根 本 就 是 外 星

rén wěi zhuāng de
人 伪 装 的 。

kān mén yé ye zài tǎn kè gài shang qiāo le sān xià
看 门 爷 爷 在 坦 克 盖 上 敲 了 三 下 ，

083

tǎn kè gài dǎ kāi le，kān mén yé ye bǎ zǎo fàn dì le
坦克盖打开了，看门爷爷把早饭递了

jìn qù
进去。

　　kān mén yé ye zài sòng fàn　méi cuò　tā men yí dìng
　　看门爷爷在送饭！没错，他们一定

shì yì huǒ de
是一伙的。

　　kān mén yé ye zǒu hòu　wǒ men tōu tōu pá dào tǎn
　　看门爷爷走后，我们偷偷爬到坦

kè shàng miàn　yě xué zhe tā de dòng zuò qiāo le sān xià　tǎn
克上面，也学着他的动作敲了三下，坦

kè gài yòu dǎ kāi le
克盖又打开了。

　　wǒ men tiào jìn tǎn kè cāng li　hā hā　wǒ men
　　我们跳进**坦克舱**里，哈哈，我们

呜呜呜呜……

我们终于抓住了外星人！

抓住了外星人。

这个外星人和我们在电视里看到的不太一样，他和我们差不多高，浑身上下都是黑黑的毛，像一只黑猩猩。

外星人开口说话了："呜呜……我不是外星人，不要抓我，我是个好人。"

想不到外星人会说中国话，不过外星人是永远不会承认自己是外星人的。

我问："你快说，你为什么来地球，是不是想攻打我们？"

"不是，我是地球人。"

铁头说："我们把他交给老师吧！"

jiāng xiǎo yá shuō　　　 bù xíng　 lǎo shī zhì fú bù liǎo
姜 小 牙 说 ："不 行 ，老 师 制 服 不 了

wài xīng rén　　 wǒ men yīng gāi jiāo gěi jǐng chá shū shu
外 星 人 ，我 们 应 该 交 给 警 察 叔 叔 。"

　　　 nǐ men zài gàn shén me　　 kuài fàng kāi tā　　　 kān
"你 们 在 干 什 么 ？快 放 开 他 。" 看

mén yé ye zǔ zhǐ le wǒ men
门 爷 爷 阻 止 了 我 们 。

　　 wǒ men nán yǐ zhì xìn de kàn zhe kān mén yé ye
我 们 难 以 置 信 地 看 着 看 门 爷 爷 ，

yīn wèi tā kě néng yě shì wài xīng rén
因 为 他 可 能 也 是 外 星 人 。

　　 kān mén yé ye yì tīng dào wǒ men shuō tā shì wài xīng
看 门 爷 爷 一 听 到 我 们 说 他 是 外 星

rén　　 yí xià zi xiào le qǐ lái　　　 shén me wài xīng rén
人 ，一 下 子 笑 了 起 来 ："什 么 外 星 人

086

啊，他只是个普通的孩子。"

"可是他的样子一点儿都不普通啊？"

看门爷爷领我们去了一个隐蔽的地方，对我们说出了一个天大的秘密。

原来毛孩儿并不是什么外星人，他只是得了一种叫作"**返祖**"的病。

"什么是返祖？"我们问。

"返祖就是浑身长满了毛，就像我们的祖先一样。"

看门爷爷告诉我们，毛孩儿其实很可怜的，他曾经被一个坏人卖去了马戏团，大家把他当怪物一样参观，毛孩儿成了坏人赚钱的工具。

máo háir bù xiǎng bèi dà jiā dàng zuò yí gè guài wu
毛 孩 儿 不 想 被 大 家 当 作 一 个 怪 物 ，

jiù tōu tōu liū le chū lái hǎo xīn de kān mén yé ye fā
就 偷 偷 溜 了 出 来 。 好 心 的 看 门 爷 爷 发

xiàn le tā kě shì yòu pà tā zài bèi zhuā zǒu jiù bǎ
现 了 他 ， 可 是 又 怕 他 再 被 抓 走 ， 就 把

tā tōu tōu cáng zài le tǎn kè li
他 偷 偷 藏 在 了 坦 克 里 。

nà ge huài rén zhēn shì tài kě wù le wǒ men sā
那 个 坏 人 真 是 太 可 恶 了 。 我 们 仨

hěn qì fèn
很 气 愤 。

wèi le máo háir de ān quán kān mén yé ye yāo qiú
为 了 毛 孩 儿 的 安 全 ， 看 门 爷 爷 要 求

wǒ men bǎo shǒu zhè ge mì mì
我 们 保 守 这 个 秘 密 。

fàng xīn ba yé ye wǒ men fā shì yí dìng bǎo
"放 心 吧 ， 爷 爷 ， 我 们 发 誓 一 定 保

shǒu mì mì wǒ men dā ying xià lái
守 秘 密 。 " 我 们 答 应 下 来 。

máo háir hěn gāo xìng néng rèn shi wǒ men hái yāo qǐng
毛 孩 儿 很 高 兴 能 认 识 我 们 ， 还 邀 请

wǒ men jìn rù tǎn kè lǐ miàn wán tài bàng le wǒ men
我 们 进 入 坦 克 里 面 玩 。 太 棒 了 ！ 我 们

hé máo háir chéng wéi le péng you
和 毛 孩 儿 成 为 了 朋 友 。

# 请让我来帮助你

**4月11日 星期日**

毛孩儿真的**好可怜**，他找不到自己的家，也不能去学校上学，我们得想个办法帮助他才行。姜小牙觉得可以找他老爸帮忙，他老爸巨有钱。

可是看门爷爷不让我们把事情告诉任何人，知道的人越多，毛孩儿就越危险，大家一定会把毛孩儿当成怪物的。

我们说过要保守这个秘密的，所

以 一 定 不 能 说 出 去 。 我 们 还 发 了 誓 呢 。

铁 头 发 誓 ， 如 果 他 说 出 去 ， 就 让 他

的 脑 袋 变 成 大 西 瓜 。

姜小牙也发誓，如果他说出去，就让他的牙变成象牙那么大。

我发誓，绝不说出去，如果我说出去，就让铁头的脑袋变大西瓜，让姜小牙嘴里长出象牙来。

今天，老妈订了我和老爸最喜欢吃的**比萨饼**。

老爸洗完手第一个冲向比萨饼："比萨饼，我来啦。"

我阻止了老爸："不许吃，比萨饼是我一个人的。"

老爸生气地说："米小圈，做人不能这么自私，你自己一个人又吃不完。"

　　"谁说是我自己一个人？"毛孩儿一定没吃过比萨饼，我要送给他吃。

　　老爸问："不是你一个人，那还有谁？"

　　我发过誓要**保守秘密**的，于是我说："我要请姜小牙和铁头吃。"

　　我把比萨饼拿走了，老爸口水都快掉到地上了。

给我留一块行不行呀？

我带着比萨饼，姜小牙带着一大桶果汁，铁头啥都没带，我们来到了植物园。

我们悄悄爬到坦克上，敲了三下，坦克盖子打开了。

我们的好朋友毛孩儿见到我们来了，高兴极了。

我们钻进坦克里，开始了我们的比萨午餐会。

铁头兴奋地说："太好了，可以吃比萨饼啦。"

铁头啊，你脸可真够大的，你一点儿贡献都没做，还好意思吃比萨饼？

tiě tóu cái bù guǎn　　tā jiù shì yào chī　　wǒ men jiù
铁 头 才 不 管 ， 他 就 是 要 吃 ， 我 们 就

bù gěi tā chī
不 给 他 吃 。

máo háir ná qǐ yí kuài bǐ sà bǐng dì gěi tiě tóu
毛 孩 儿 拿 起 一 块 比 萨 饼 递 给 铁 头 ：

wǒ de péng you　　nǐ chī ba
" 我 的 朋 友 ， 你 吃 吧 。 "

tiě tóu gāo xìng de chī le qǐ lái
铁 头 高 兴 地 吃 了 起 来 。

máo háir yòu ràng wǒ hé jiāng xiǎo yá chī　　kě shì wǒ
毛 孩 儿 又 让 我 和 姜 小 牙 吃 ， 可 是 我

liǎ dōu bù shě de chī　　yīn wèi wǒ men kě yǐ jīng cháng chī
俩 都 不 舍 得 吃 。 因 为 我 们 可 以 经 常 吃

dào　　kě máo háir què shì dì yī cì chī
到 ， 可 毛 孩 儿 却 是 第 一 次 吃 。

真好吃呀！

铁头，你的脸好大啊！

最终，我俩经不住比萨饼的 **诱惑**，
每人吃了一块。

铁头吃完一块还想吃，我们阻止
了他。

# 好好赚钱天天向上

4月15日 星期四

最近这几天，我们送给毛孩儿很多好吃的东西，我们花光了身上所有的钱。连最有钱的姜小牙也身无分文啦。

这样不行，我们必须帮助毛孩儿，我们必须想个赚钱的办法才行。

我们三人组为了赚钱开了一次会，我们开动脑筋，想出了各种办法。

铁头说："我们可以去做家教，帮

zhù xué xí chà de tóng xué bǔ xí gōng kè   shōu qǔ yí dìng
助 学 习 差 的 同 学 补 习 功 课 ， 收 取 一 定

de fèi yòng
的 费 用 。 ”

　　zhè ge zhǔ yi hái bú cuò   kě shì wǒ men bān xué
　　这 个 主 意 还 不 错 ， 可 是 我 们 班 学

xí zuì chà de jiù shì tiě tóu nǐ a
习 最 差 的 就 是 铁 头 你 啊 。

　　jiāng xiǎo yá shuō   wǒ men kě yǐ chǎo gǔ piào   wǒ
　　姜 小 牙 说 ： “ 我 们 可 以 炒 股 票 ， 我

lǎo bà shì zhè fāng miàn de zhuān jiā
老 爸 是 这 方 面 的 专 家 。 ”

　　zhè ge zhǔ yi zuì hǎo   kě shì wǒ men méi yǒu běn
　　这 个 主 意 最 好 ， 可 是 我 们 没 有 本

qián a   zài shuō péi le zěn me bàn
钱 啊 ， 再 说 赔 了 怎 么 办 ？

最后还是我的办法最可行："我们
还是**节约开销**吧，我们从此不去买饮
料喝了，只喝白开水。三个人吃两份
午餐，这样可以省下一份午餐的钱。
我们也不买新作业本了，用完的本子
就用反面写。"

我们只是小孩儿，这大概是我们能
想到的最好的赚钱办法吧。

真好喝呀！

我忍住　我不喜欢喝

可乐对健康不好

白开水最好喝

放学回到家，老爸的好朋友坤叔叔来我们家做客了。

坤叔叔家没有小孩儿，所以他特别喜欢我，但我并不怎么喜欢他，因为他总是摸我的头。

唉，可是为了我的好朋友毛孩儿，我决定去献殷勤。

我端着水果盘走了过去："坤叔

米小圈，你真是个有礼貌的好孩子。

叔，好久不见，米小圈好想你呀。"

坤叔叔一听我的话，高兴极了，又开始摸我的头。他完全不在乎我的感受。

好吧，为了毛孩儿，我忍，我忍，我忍忍忍……

我悄悄对坤叔叔说："坤叔叔，我想买个玩具，可是我爸不给我买。"

坤叔叔说："没关系，我给你买，你想买什么样的？"

"不用这么麻烦啦，坤叔叔，你给我点儿钱呗，我自己去买。"

"没问题，给！"坤叔叔拿出钱

100

包，抽出了一张百元大钞递给我。

"坤叔叔万岁！"哈哈，一百元！

我可以给毛孩儿买很多很多好吃的。

这时，坤叔叔又开始摸我的头。

唉……看来赚钱是要付出代价的。

（老妈评语：米小圈，向别人要钱、

要东西是很不好的行为。）

# 我的好主意

4 月 16 日　星期五

jīn tiān　jiāng xiǎo yá hěn shī luò　fēi cháng shī luò
今天，姜小牙很失落，非常失落，

yīn wèi tā xīn xiě de shī bèi bào shè tuì gǎo le
因为他新写的诗被报社退稿了。

看！我发表的文章！

我需要钱……

退稿

被退稿就没有稿费，没有稿费就不能帮助毛孩儿，不能帮助毛孩儿他就会很可怜。

谁希望自己的朋友很可怜呢？

我帮姜小牙想出一个好办法——过生日！

"可是米小圈，我还有一个月才过生日呢？"姜小牙问。

"没关系，你可以提前**透支**你的生日。"

"啊？生日还可以透支？"

"对啊，这可是提前消费时代，这么有创意的想法你爸妈绝对会同意的。"

铁头比姜小牙更失落，他为了搞点儿钱，把家里的书和杂志卖给了废品回收站。可是铁头太笨了，他不光卖了没用的旧书，还卖了他老爸刚买的新书。

铁头爸又跑到废品回收站花高价把书买了回来。

哈哈，铁头迎来了一顿海扁，而且

他爸还没收了他的零用钱。

我又帮铁头想到了一个好办法：

"铁头，你老爸平时在哪里买书？"

"在书店啊，不然去哪里买？"

"太好了，我有办法了，你可以做你老爸的代购员。网上买书有折扣的，这样你就可以赚到折扣的钱啦。"

铁头兴奋起来："对呀，我怎么没

老爸，代购员铁头给你送书来了。

真是一流的服务啊！

想到，这样我就可以赚到钱帮助毛孩儿啦。"

铁头这家伙，除了能把事情搞砸以外没有其他的本事。

他居然告诉他老爸网上买书便宜，他要赚中间的折扣。于是他老爸自己去网上订书了，根本没用铁头这个代购员。铁头一分钱都没赚到。

唉……铁头真笨。

# 生日快乐

4月17日 星期六

今天就是姜小牙的生日啦，虽然这个生日是透支来的，不过小牙爸还是决定为姜小牙举办一次隆重的生日派对。

姜小牙赶快拒绝："不用了老爸，你把钱给我就行了，我和米小圈他们去过生日。"

"这怎么行？"小牙爸坚决不同意。

107

呀…… 我好饿…

对不起，我没有钱……

唉…… 小牙爸不明白，我们需要的
不是什么派对，我们需要钱呀。

小牙妈为姜小牙做了一桌子美食，
小牙爸买来一个大大的生日蛋糕。小
牙妈还特意给我们打来电话，邀请我
们参加。

"哈哈，能吃到生日蛋糕啦！" 铁
头高兴得不得了。

铁头啊，你就知道吃，你忘记了吗？

我们透支这个生日是为了给毛孩儿筹钱的。

"哦……"铁头难过起来，"要是毛孩儿也能来参加就好了。"

可是我们发过誓的，一定不能把这个秘密说出去。

意外发生了，小牙妈不但邀请了

我知道一个天大的秘密！！！

不要说出去！

我和铁头，还邀请了班长李黎。

如果我们的秘密被李黎知道，那就等于被全世界都知道了。她一定会到处宣扬的。

大家都很担心，万一李黎知道这个秘密就坏了。

我们必须想个办法阻止李黎参加才行，我们必须在李黎还没到姜小牙家前"阻截"她。

对！就这么办，派铁头去"阻截"李黎。

可想不到的是，李黎今天早早儿就来到姜小牙家。我们的阻截计划失败。

李黎送给姜小牙一个自己做的毛绒玩具。姜小牙一点儿都开心不起来。

姜小牙，生日快乐！

你怎么这么早就来啦？

生日午餐开始了，铁头早就迫不及待啦。我们吃起了各种美食，我们在吃美食，可我们的好朋友毛孩儿却吃不到。

姜小牙说："一会儿我们少吃点儿生日蛋糕，给毛孩儿留一半不就行啦？"

对呀，我们可以把生日蛋糕分给毛孩儿吃。

"吹生日蜡烛的时间到了。"李黎提醒姜小牙。

切！李黎明明就是想吃生日蛋糕。

小牙妈拿出了一个又大又漂亮的生日蛋糕，插上蜡烛，大家唱起了生日歌。

姜小牙许了一个愿望，他的愿望就是李黎能少吃点儿生日蛋糕。

李黎很快就把一块蛋糕吃光了，可我们三个却不舍得吃。

李黎很奇怪："你们怎么不吃呢？

姜小牙，今天可是你的生日呀？"

姜小牙说："我没胃口。"

李黎问："这样啊，那我可以再吃一块吗？"

"绝对不行！"我们仨拒绝了李黎，"剩下的蛋糕要留给我们的好朋友吃。"

"什么朋友？怎么没有来参加你的生日派对呢？"李黎问。

姜小牙说："这个这个……不告诉你。"

姜小牙的生日派对终于结束了，李黎回家去了。我们仨端着半个生日

dàn gāo pǎo qù zhí wù yuán zuān jìn dà tǎn kè li
蛋糕跑去植物园，钻进大坦克里。

máo háir shuō tā cóng lái méi chī guo shēng rì dàn gāo
毛孩儿说他从来没吃过生日蛋糕，

yú shì wǒ men jué dìng bāng tā kāi yí gè shēng rì pài duì
于是我们决定帮他开一个生日派对。

wǒ men chàng zhe shēng rì gē zhèng gāo xìng shí tū rán
我们唱着生日歌，正高兴时，突然

dà tǎn kè de gài zi bèi rén dǎ kāi le
大坦克的盖子被人打开了。

yí gè rén dà hǎn dào hā wǒ zhī dào nǐ men
一个人大喊道："哈！我知道你们

de mì mì la
的秘密啦。"

wǒ men tái tóu yí kàn wā yuán lái shì lǐ lí
我们抬头一看，哇！原来是李黎。

wán dàn la
完 蛋 啦 ！

lǐ lí yí xià zi tiào jìn le dà tǎn kè  zhuā zhù
李 黎 一 下 子 跳 进 了 大 坦 克 ， 抓 住

le máo háir
了 毛 孩 儿 。

máo háir xià de dà jiào qǐ lái
毛 孩 儿 吓 得 大 叫 起 来 。

lǐ lí shuō bié hài pà wǒ zhǐ shì xiǎng hé nǐ
李 黎 说 ：" 别 害 怕 ， 我 只 是 想 和 你

zuò péng yǒu ér yǐ
做 朋 友 而 已 。 "

ǎ zuò péng you dà jiā xū jīng yì cháng
" 啊 ！ 做 朋 友 ？ " 大 家 虚 惊 一 场 。

lǐ lí zhè rén zhēn bú cuò tā yě xiǎng gēn wǒ men
李 黎 这 人 真 不 错 ， 她 也 想 跟 我 们

yì qǐ bāng zhù máo háir
一 起 帮 助 毛 孩儿 。

wǒ shuō kě shì nǐ bì xū bǎo shǒu zhè ge mì mì
我 说:"可 是 你 必 须 保 守 这 个 秘 密 。"

lǐ lí hěn shuǎng kuai de dā ying le fàng xīn ba
李 黎 很 爽 快 地 答 应 了 : "放 心 吧 ,

wǒ yí dìng bǎo shǒu mì mì
我 一 定 保 守 秘 密 。 "

# 大嘴巴李黎

4 月 21 日 星期三

我再也不相信女生说的话了，特别是李黎这种女生。

才三天的工夫，我班同学就都知

抓住他……

=3

117

道 毛 孩儿 的 秘 密 了。

看 门 爷 爷 一 定 会 责 怪 我 们 的。说

不 定 再 也 不 让 我 们 去 见 毛 孩儿 了 呢。

魏 老 师 夹 着 作 业 本 走 进 教 室:"同

学 们,大 家 都 知 道 毛 孩儿 的 事 情 了 吧?"

这 还 用 问 吗?李 黎 这 个 大 嘴 巴 早

就 告 诉 地 球 上 的 每 一 个 人 了。

魏 老 师 又 说:"大 家 觉 得 毛 孩儿 是

怪 物 还 是 和 你 们 一 样 的 孩 子 呢?"

同 学 们 异 口 同 声 地 说:"是 和 我

们 一 样 的 孩 子。"

想 不 到 同 学 们 的 觉 悟 也 挺 高 的。

魏 老 师 问:"那 我 们 是 不 是 该 帮 助

他 呢？"

徐 豆 豆 举 起 手 来："老 师，我 妈 妈 新 给 我 买 了 一 个 书 包，我 想 把 这 个 旧 的 送 给 毛 孩儿。"

魏 老 师 表 扬 了 徐 豆 豆。

真是
个好孩子。

可 我 觉 得 魏 老 师 应 该 批 评 徐 豆 豆 才 对，为 什 么 要 把 新 的 留 给 自 己 呢？

在 魏 老 师 的 鼓 励 下，同 学 们 为 毛

孩儿捐了好多东西。

铁头**最积极**，他不但捐了自己的东西，还把我借给他的漫画书也捐了出去。

呜呜……铁头，我又不是没长手，我自己不会捐吗？

我们几个带着同学们的礼物来到植物园。

真好玩!

máo háir kàn jiàn lǐ wù　　gāo xìng de tiào le qǐ lái
毛孩儿看见礼物，高兴得跳了起来。

chē chí sòng gěi máo háir　yí tào shū　kě shì máo háir
车驰送给毛孩儿一套书，可是毛孩儿

què yì diǎnr dōu bù xǐ huan　yuán lái máo háir　tā bù shí zì
却一点儿都不喜欢。原来毛孩儿他**不识字**。

kān mén yé ye gào su wǒ men　　máo háir　gēn běn méi
看门爷爷告诉我们，毛孩儿根本没

shàng guo xué　zěn me huì shí zì ne
上过学，怎么会识字呢？

tiě tóu shuō　　　zhè ge hǎo bàn　wǒ shí zì a
铁头说："这个好办，我识字啊，

wǒ kě yǐ jiāo tā
我可以教他。"

kě shì tiě tóu　nǐ xué xí nà me chà　zěn me jiāo
可 是 铁 头 ， 你 学 习 那 么 差 ， 怎 么 教

bié rén ya
别 人 呀 ？

ài　　　máo háir yào shì néng hé wǒ men yì qǐ shàng
唉 …… 毛 孩 儿 要 是 能 和 我 们 一 起 上

xué jiù hǎo la
学 就 好 啦 。

# 打死我也不说

4 月 24 日 星期六

yòu dào le xīng qī liù
又 到 了 星 期 六 ，

wǒ men yòu yǒu shí jiān qù
我 们 又 有 时 间 去

zhǎo máo háir wán le
找 毛 孩 儿 玩 了 。

lǎo mā tè yì zhǔ le yù mǐ yào
老 妈 特 意 煮 了 玉 米 要

wǒ dài gěi máo háir
我 带 给 毛 孩 儿 ，

tā rén kě zhēn hǎo
她 人 可 真 好 。

毛孩儿哥哥，这个送给你。

怎么样，我是对的吧？

我也想吃巧克力。

看来我们怪错了李黎，大嘴巴李黎把毛孩儿的秘密说出去是完全正确的，大家都愿意**奉献**自己的爱心。

我们带着煮玉米来到了植物园。

"看门爷爷，我们来看毛孩儿啦。"铁头说。

看门爷爷冲了过来："你们这几个小孩儿，到底做了什么？"

我们被看门爷爷的话**弄蒙了**："我们什么也没做呀？"

看门爷爷生气地说："今天来了一群记者，是不是你们找来的？"

"记者？不是我们找来的呀。"我

men jǐ gè gǎn kuài xiàng dà tǎn kè pǎo qù
们 几 个 赶 快 向 大 坦 克 跑 去 。

yì qún jì zhě zhèng wéi zhe máo háir zài pāi zhào máo
一 群 记 者 正 围 着 毛 孩儿 在 拍 照 ， 毛

háir hài pà jí le
孩儿 **害 怕 极 了** 。

不要抓我，
不要抓我！

等一等。

wǒ men bì xū zǔ zhǐ jì zhě rú guǒ zhè ge mì
我 们 必 须 阻 止 记 者 ， 如 果 这 个 秘

mì shàng le diàn shì huài rén jiù huì zhī dào tā yí dìng
密 上 了 电 视 ， 坏 人 就 会 知 道 ， 他 一 定

huì zhuā zǒu máo háir de
会 抓 走 毛 孩儿 的 。

bú yào pāi bú yào pāi wǒ chōng le shàng qù
"不 要 拍 ， 不 要 拍 。" 我 冲 了 上 去 。

jiāng xiǎo yá zhuài zhe máo háir gǎn kuài táo pǎo
姜 小 牙 拽 着 毛 孩儿 赶 快 逃 跑 。

jì zhě men zhuā bú dào máo háir    zhǐ hǎo zhuā zhù le
记 者 们 抓 不 到 毛 孩儿 ， 只 好 抓 住 了

wǒ    yí dìng yào cǎi fǎng wǒ bù kě
我 ， 一 定 要 采 访 我 不 可 。

máo háir  shì wǒ de hǎo péng you   wǒ shì yí dìng bú
毛 孩 儿 是 我 的 好 朋 友 ， 我 是 一 定 不

huì bǎ mì mì shuō chū qù de
会 把 秘 密 说 出 去 的 。

啊？李黎满脑子都是新闻，我快被
她气死了。

放学后，同学们都很担心毛孩儿的
安危，大家决定去植物园看一看。

看门爷爷还在生我们的气，我们
没敢惊动他，悄悄向大坦克走去。

我跳上大坦克，敲了三下，可是没
有声音。我打开坦克盖一看："啊？毛

<ruby>孩<rt>háir</rt></ruby><ruby>儿<rt></rt></ruby> <ruby>不<rt>bú</rt></ruby> <ruby>见<rt>jiàn</rt></ruby> <ruby>了<rt>le</rt></ruby>！"

<ruby>铁<rt>tiě</rt></ruby><ruby>头<rt>tóu</rt></ruby> <ruby>指<rt>zhǐ</rt></ruby><ruby>着<rt>zhe</rt></ruby> <ruby>李<rt>lǐ</rt></ruby><ruby>黎<rt>lí</rt></ruby> <ruby>说<rt>shuō</rt></ruby>："<ruby>毛<rt>máo</rt></ruby><ruby>孩<rt>háir</rt></ruby><ruby>儿<rt></rt></ruby> <ruby>一<rt>yí</rt></ruby> <ruby>定<rt>dìng</rt></ruby> <ruby>是<rt>shì</rt></ruby>

<ruby>被<rt>bèi</rt></ruby> <ruby>抓<rt>zhuā</rt></ruby> <ruby>走<rt>zǒu</rt></ruby> <ruby>了<rt>le</rt></ruby> ，<ruby>都<rt>dōu</rt></ruby> <ruby>怪<rt>guài</rt></ruby> <ruby>你<rt>nǐ</rt></ruby> 。"

<ruby>大<rt>dà</rt></ruby> <ruby>家<rt>jiā</rt></ruby> <ruby>都<rt>dōu</rt></ruby> <ruby>责<rt>zé</rt></ruby><ruby>备<rt>bèi</rt></ruby> <ruby>李<rt>lǐ</rt></ruby><ruby>黎<rt>lí</rt></ruby> ，<ruby>李<rt>lǐ</rt></ruby><ruby>黎<rt>lí</rt></ruby> <ruby>一<rt>yí</rt></ruby> <ruby>下<rt>xià</rt></ruby> <ruby>子<rt>zi</rt></ruby> <ruby>哭<rt>kū</rt></ruby>

<ruby>了<rt>le</rt></ruby> ："<ruby>呜<rt>wū</rt></ruby> <ruby>呜<rt>wū</rt></ruby>…… <ruby>我<rt>wǒ</rt></ruby> <ruby>不<rt>bú</rt></ruby> <ruby>是<rt>shì</rt></ruby> <ruby>故<rt>gù</rt></ruby> <ruby>意<rt>yì</rt></ruby> <ruby>的<rt>de</rt></ruby> <ruby>呀<rt>ya</rt></ruby> ，<ruby>我<rt>wǒ</rt></ruby> <ruby>只<rt>zhǐ</rt></ruby>

<ruby>是<rt>shì</rt></ruby> <ruby>想<rt>xiǎng</rt></ruby> <ruby>帮<rt>bāng</rt></ruby> <ruby>助<rt>zhù</rt></ruby> <ruby>他<rt>tā</rt></ruby> 。"

<ruby>这<rt>zhè</rt></ruby> <ruby>时<rt>shí</rt></ruby> <ruby>看<rt>kān</rt></ruby> <ruby>门<rt>mén</rt></ruby> <ruby>爷<rt>yé</rt></ruby> <ruby>爷<rt>ye</rt></ruby> <ruby>走<rt>zǒu</rt></ruby> <ruby>了<rt>le</rt></ruby> <ruby>过<rt>guò</rt></ruby> <ruby>来<rt>lái</rt></ruby> ："<ruby>别<rt>bié</rt></ruby> <ruby>哭<rt>kū</rt></ruby>

<ruby>啊<rt>a</rt></ruby> ，<ruby>怎<rt>zěn</rt></ruby> <ruby>么<rt>me</rt></ruby> <ruby>了<rt>le</rt></ruby> <ruby>这<rt>zhè</rt></ruby> <ruby>是<rt>shì</rt></ruby> ？"

李黎边哭边说："爷爷，都是我不好，没有保守秘密，害了毛孩儿。"

看门爷爷一下子笑了："谁说你不好，要不是你找来了记者，毛孩儿就不会得到这么多人的帮助，也就不会住进**儿童福利院**了。"

"儿童福利院？"大家都很纳闷，原来毛孩儿没有被坏人抓走。

欢迎你来儿童福利院。

真好玩！

看门爷爷表扬了大嘴巴李黎，李黎得意起来："米小圈，这回你相信媒体的力量了吧？"

相信倒是相信了，可是我却有点儿难过，以后再也不能到植物园找毛孩儿玩了。

毛孩儿，我会想念你的。

# 福利院真好玩

5月1日 星期六

wǔ yī láo dòng jié dào lái le wǒ men yòu kě yǐ
五 一 劳 动 节 到 来 了 ， 我 们 又 可 以

fàng hǎo duō tiān jià le kě yǐ wán gè tòng kuài yě kě
放 好 多 天 假 了 ， 可 以 玩 个 痛 快 ， 也 可

yǐ zài jiā li shuì lǎn jiào kě wǒ men bù dǎ suàn zhè yàng
以 在 家 里 睡 懒 觉 。 可 我 们 不 打 算 这 样

毛孩儿！

我们来啦！

过我们的假期。

我们要去福利院看望我们的好朋友毛孩儿。

只有李黎知道福利院在哪儿，所以我们必须先去李黎家请她。

"请"这个词是李黎自己说的，看在她这次有**功劳**的面子上，我们就请她一次。

我们请到李黎，坐上公交车，终于来到了儿童福利院。

哇！好气派的福利院啊，像我小时候的幼儿园一样漂亮。

毛孩儿听说我们要来，早早儿就站

在门口等我们啦。我们刚一出现，他就向我们冲了过来。

"朋友们，我好想念你们呀！你们怎么才来？"毛孩儿抱住我们。

"毛孩儿，我们也很想念你呀。"

我从书包里拿出一本我最喜欢的漫画书送给毛孩儿。想不到里面的字他都认识。

毛孩儿说福利院里的白老师是个好人，她教他识字，还教他弹钢琴呢。

毛孩儿带我们来到游戏室，这里有一架钢琴。

毛孩儿弹起钢琴，铁头为他伴舞。

wǒ tū rán xiǎng dào yí gè chéng yǔ　　duì niú tán qín
我 突 然 想 到 一 个 成 语 —— 对 牛 弹 琴 。

xī xī
嘻 嘻 ……

wǒ men bù xiǎng zài kàn dào tiě tóu de chōu fēng wǔ dǎo
我 们 不 想 再 看 到 铁 头 的 抽 风 舞 蹈

le　　yú shì gǎn kuài pǎo dào wài miàn wán qǐ le huá tī
了 ， 于 是 赶 快 跑 到 外 面 玩 起 了 滑 梯 。

máo háir　　　wǒ men yì qǐ wán bei　　　　yí gè
" 毛 孩 儿 ， 我 们 一 起 玩 呗 。 " 一 个

xiǎo nán háir zǒu guò lái shuō
小 男 孩 儿 走 过 来 说 。

zhè ge xiǎo nán háir jiào ā chéng　　shì máo háir zài
这 个 小 男 孩 儿 叫 阿 成 ， 是 毛 孩 儿 在

福利院里最最好的朋友。

奇怪？阿成长得好像一个人呀！

铁头说："当然像一个人，难道还

像小狗不成吗？"

我突然想起来了："对了！像铁头

你呀。"

难道我们
是双胞胎？

毛孩儿、李黎还有姜小牙也都觉得

很像铁头。

我们玩了一会儿，白老师在远处喊道："孩子们，开饭啦。"

铁头说："哇！开饭啦，饿死了，我们快去吧。"

大家一起向饭厅冲去。

"福利院的饭可真好吃呀！"铁头边吃边说。

姜小牙补充道："而且还是免费的哟。"

用餐完毕，时候不早了，我们要离开了。毛孩儿和阿成都很舍不得我们走。

铁头更舍不得，他还没吃够呢。

我 说：“铁 头，要 不 你 就 留 下 来 吧！”

“好 啊，好 啊！”铁 头 很 爽 快 地 答
应 下 来。

“然 后 让 毛 孩儿 去 你 家 住。”

“这 个 这 个 ……咱 们 快 走 吧。”铁
头 还 是 觉 得 自 己 家 好。

我 们 跟 毛 孩儿 告 别 后，在 大 门 口 发
现 了 一 个 募 捐 箱。

李 黎 提 议 大 家 把 自 己 的 钱 捐 给 福
利 院。

这 个 提 议 得 到 了 大 家 的 一 致 赞 同。

我 们 把 兜 里 所 有 的 钱 都 捐 了 出 去，
可 是 我 们 忘 记 了 一 件 很 重 要 的 事，那

jiù shì zuò gōng jiāo chē shì xū yào mǎi piào de
就 是 坐 公 交 车 是 需 要 买 票 的 。

wū wū wū          dōu guài lǐ lí
呜 呜 呜 …… 都 怪 李 黎 。

等一等呀！

票价一元

# 北猫叔叔的日记魔法

yǒng jiǔ miǎn fèi de mó fǎ
**永久免费的魔法**

北 猫 叔 叔

yǒu rén shuō guo  tiān xià méi yǒu miǎn fèi de wǔ cān
有 人 说 过 ， 天 下 没 有 免 费 的 午 餐。

zhè huà yì diǎnr méi cuò  kě shì běi māo shū shu yào wèn wen
这 话 一 点儿 没 错 ， 可 是 北 猫 叔 叔 要 问 问

dà jiā  zhè tiān xià yǒu méi yǒu shén me shì kě yǐ yǒng jiǔ
大 家 ， 这 天 下 有 没 有 什 么 是 可 以 永 久

miǎn fèi de
免 费 的 ?

dà jiā de dá àn kěn dìng wǔ huā bā mén  gè yǒu
大 家 的 答 案 肯 定 五 花 八 门 ， 各 有

gè de dào lǐ
各 的 道 理。

běi māo shū shu rèn wéi  tiān dǐ xià zuì zhí
北 猫 叔 叔 认 为 ， 天 底 下 最 值

141

钱 却 又 不 用 花 钱 的 东 西 就 是 —— 思 考 ！

上 课 时 ， 我 们 要 思 考 问 题 的 答 案 ；

中 午 时 ， 我 们 要 思 考 去 哪 里 吃 饭 ； 放

学 呢 ， 我 们 要 思 考 该 去 玩 点儿 什 么 。

我 们 的 一 天 就 是 在 不 停 地 思 考 中

度 过 的 。 你 在 写 日 记 的 时 候 ， 是 提 笔

就 写 呢 ， 还 是 认 真 思 考 之 后 再 动 笔 呢 ？

米 小 圈 虽 然 爱 调 皮 爱 耍 赖 ， 但 他

却 有 个 优 点 ， 那 就 是 乐 于 思 考 。

他 在 动 笔 写 日 记 之 前 ， 会 先 思 考

几 个 问 题 ——

第一，今天都发生了哪些事？

第二，其中哪件事是最重要、最有意义或者最好玩的？

第三，我该如何把这些事写得精彩？

米小圈发现，把这些问题都思考清楚后，再去动笔写日记，就很容易写出一篇好文章了。

其实写文章就像盖房子一样，如果你做到心里有数，这样建出来的房子就可以又

piào liang yòu wěn gù la
漂 亮 又 稳 固 啦 。

nǐ bù fáng shì shi
你 不 妨 试 试 。